국립중앙도서관 출판시도서목록(CIP)

꼬마깡패 아롬이 / 글: 마곳 선더랜드 ; 그림: 니키 암스트롱
; 번역: 이재훈 외.
서울 : 한국심리치료연구소, 2007
p. ;   cm

원서명: A Wibble called Bipley
원저자명: Sunderland, Margot
참고문헌 수록
ISBN 978-89-87279-53-4 74180
ISBN 978-89-87279-51-0(전19권)

183.2-KDC4 CIP2007002715

A Wibble called Bipley

by Margot Sunderland & Nicky Armstrong

꼬마깡패 아롬이

발행일 2007년 9월 15일
지은이 마곳 선더랜드와 니키 암스트롱
옮긴이 이재훈 외
펴낸곳 한국심리치료연구소
등록 제 22-1005호(1996년 5월 13일)
주소 서울시 종로구 적선동 156 (광화문플래티넘 918호)
Tel 730-2537, 2538 Fax 730-2539
http://www.orips.net E mail: orips@orips.net

ISBN 89- 87279-53-7 74180
ISBN 89- 87279-51-0 74180(전 19권)

꼬마 깡패
아름이

글

마곳 선더랜드

그림

니키 암스트롱

번역

편집부

한국심리치료연구소

아롬이라는 아이가 살고 있었어요. 그는 다른 아이들처럼 아주 부드럽고 사랑스러웠죠.

아이들과 같이 놀면 아주 신이 나요. 왜냐하면 그들은 잘 놀고, 아주 많이 웃거든요. 아롬이도 그랬어요!

아이들이 특히 잘하는 건
잔디가 깔린
언덕 아래로
데굴데굴
구르기,

함께 모여 파티를 열고 킬킬대기,

그리고 정말 오래가는 아주 커다란 비누방울 만들기...

... 그리고 그들은 서로를 정말 잘 안아준답니다.

그런데 어느 날, 누군가가 그만 아롬이의 마음에 상처를 주었어요. 아롬이는 가슴이 찢어지는 것 같았어요. 그는 마음이 너무나 아팠기 때문에 다시는 고칠 수가 없을 거라고 생각했어요.

그리고 마침내 중요한 생각을 하게 되었어요. "내가 상처 입은 것은 너무 부드럽고 착하기 때문이야." 그는 자신에게 말했어요. 내가 아무도 사랑하지 않았다면, 대신 억세고 거칠었다면 그런 일은 일어나지 않았을 거야."

아롬이는 너무 많이 슬프고 마음이 아파서, 무언가를 해야겠다고 마음먹었어요. 무엇이든지! "아, 맞다, 아이들 숲에 가야겠다," 그는 생각했어요. "그곳에 내가 좋아하는 호수가 있지. 거기 있으면 언제나 기분이 좋았었어."

아롬이가 좋아하는 곳은 숲 속에 있는 멋진 소풍장소였는데, 거기에는 여러 개의 커다란 그네와 두 개의 미끄럼틀, 그리고 아주 넓은 모래밭이 있었어요. 아롬이는 커다란 그네에 앉아 호수의 맑은 물이 부드럽게 찰랑이는 것을 보고 있으면, 기분이 좀 나아질 것 같았어요. 왜냐하면 그의 마음은 지금 너무 아프거든요.

호숫가로 가는 길에 아롬이는 세 명의 깡패 형들을 만났어요. 검은 안경에 터무니없이 큰 코트를 걸치고 과자 깡통으로 만든 모자를 쓰고 있는 깡패 형들은 크고 거칠었어요. 그들의 무릎은 네모나게 생겼고, 까만 발톱은 어둠 속에서도 번쩍번쩍 빛이 났어요.

악바리라는 이름을 가진 형이 아롬이 얼굴을 보고는 아롬이가 마음의 상처를 입은 것을 알아차렸어요. "이 녀석 좀 봐라," 악바리가 말했어요. "그렇게 부드럽고 사랑스런 마음으로 돌아다니다니 참 바보 같군. 그래서 상처를 입는 거야. 나도 그랬었지, 이제 그만 두자고 마음먹기 전까지는. 난 더 이상 상처 입기 싫었어. 나는 나 자신에게 말했지. 억세어라, 악바리! 억세어지라고!"

“그럼 형은 어떻게 해서 억세졌어?” 아무 것도 모르는 아롬이가 물었어요. “우리가 입고 있는 이 코트 속에 뭐가 있는지 알아?” 악바리가 물었어요. 아롬이는 콜라, 스케이트 보드, 핫도그 등, 모든 걸 다 생각해냈지만 전부 다 틀렸어요.

깡패 형들이 코트를 열자 아롬이의 눈앞에는 커다란 세 개의 벽들이 나타났어요! "우리는 마음이 상처 입을까봐 이 벽을 쌓았지," 한 형이 자랑스럽게 말했어요. "그건 이제 우리가 더 이상 아픔을 느끼지 않는다는 뜻이야. 아롬이 너도 더 이상 상처입지 않도록 마음의 벽을 쌓아야 해."

아롬이는 아주 좋은 생각이라고 여겼어요. 그래서 아이들 숲에서 무언가를 찾기 시작했어요. 한참을 헤매다가 아롬이는 작은 덤불 옆에서 단단하고 큰 벽돌을 찾아냈어요. 그는 그것을 가슴에 끼워 넣었어요.

그러자 아롬이는 가슴 속이 아주 다르게 느껴졌어요. 더 이상 아픔을 느끼지 않았거든요. 그는 가슴 속에 쌓인 슬픔을 느끼지 않았고 더 이상 울고 싶지 않았어요. 그는 깨어진 사랑의 아픔을 느끼지 않았어요. 실제로 아롬이는 자신이 억세졌다는 걸 느꼈어요. 악바리는 아롬이에게 검은 안경을 주었고, 겁을 주는 자세를 취하는 법과 어둠 속에서도 빛나도록 발톱을 까맣게 칠하는 법을 가르쳐주었어요.

그때 아이들이 숲 속으로 소풍을 나왔어요.

"저리 꺼져!" 아롬이는 까만 안경을 쓰고, 겁을 주는 자세를 취한 채 소리쳤어요. 아이들은 놀라서 모두 도망쳤어요.

그러나 작은 아이들이 너무 허둥대다가
서로 부딪쳐 쓰러지면서
아주 질척질척한
흙탕물 속으로 굴렀어요!

아롬이는 진흙투성이가 된 그들을 보고 비웃으면서 소리쳤어요, "야, 이 바보 같은 애송이들아!"

작은 아이들은 너무 무서워서 덜덜 떨었어요.

이제 아롬이는 전처럼 느끼지 않았어요.
그가 느낀 것은 힘, 힘, 힘이었어요!

그는 이제 상처를 입는 아이가 아니라 상처를 주는 아이가
되어 있었어요!

그것은 숲 속에서 가장 큰 나무처럼 아주 높고, 억세고, 위대해진 느낌이었어요. 힘은 아롬이의 부드러운 몸속으로 밀려 들어왔고, 그는 흥분으로 몸이 근질근질했어요. 그의 상처는 사라진 것 같았어요! 그의 눈물도 사라졌고, 깨어진 사랑의 아픔도 사라졌어요! 그는 하늘을 날고 있어요! 그는 놀이공원의 회전열차 위에 서있어요! 그는 왕 중의 왕이에요! 그는 **천하무적 아롬이**에요!

그리고 다른 아이들이 숲 속으로 소풍을 나올 때 마다 아롬이는 소리를 냅다 질렀어요. 전보다 더 사납게! 그리고 더 크게! 마침내 소풍을 나오는 사람이 아무도 없을 때까지, 작은 아이 하나도 얼씬거리지 않을 때까지.

그래서 아롬이는 소풍 장소를 모두 차지하게 되었어요. 그네와 미끄럼틀, 그리고 모래밭까지 전부 그의 것이었어요. 그런데 한쪽 구석에 있는 뭔가가 아롬이의 눈에 들어왔어요. '소풍 온 아이들을 환영합니다' 라는 표지대신에, '아롬이를 조심하세요. 그는 이제 깡패입니다!' 라는 표지가 있었어요. 아롬이는 온 몸이 **힘**으로 넘쳐나는 걸 느꼈어요.

그러나 아롬이가 그네를 열일곱 번, 미끄럼을 스물다섯 번 타고, 모래밭에서 모래성을 마흔여섯 개 만들었을 때, 그는 좀 외롭다고 느끼기 시작했어요. 자신에게서 불꽃처럼 타오르던 힘 있는 느낌이 사라졌어요.

그는 지나가는 민달팽이에게 "넌 냄새나고 느려터지고 역겨워!"라고 욕을 하면서 힘 있다는 느낌을 되찾으려 했어요. 하지만 그것은 소용이 없었어요, 왜냐면 민달팽이는 그날 아침에 즐겼던, 아주 맛난 양상추 생각에 행복하게 빠져 있었거든요.

그리고 아롬이가 민달팽이를 밟아주어야겠다고 생각하는 동안,
민달팽이는 느린 걸음으로
가시덤불 속으로 들어가 버렸어요!

그래서 아롬이는 주저앉았어요. 기분이 따분하고 시시했어요, 마치 생일 다음 날처럼, 혹은 폭죽놀이를 한 다음 날 아침 타버린 폭죽들만 수북이 쌓였을 때처럼.

아롬이가 다음엔 뭘 할까 생각하고 있는데, 나리라는 작은 미나리아재비가 눈에 띄었어요. (사실 아이들 숲에서는 모두 미나리아재비를 나리라고 부른답니다. 그들은 그렇게 부르는 걸 좋아해요.)

웬일인지 나리는 전혀 깡패들을 두려워하지 않았어요. 사실 아롬이가 지르는 소리도 나리에게는 강한 바람소리처럼 들렸어요. 나리는 바람을 꽤 좋아하거든요.

나리는 아롬이에게 미소를 지으면서 그의 네모난 무릎과 과자깡통 모자가 아주 맘에 든다고 말해 주었어요. 나리는 아롬이의 모래성이 자기가 이제까지 본 것 중에서 가장 멋지다고 말했어요.

나리는 그 모래성들 중 하나에 잠깐 앉아도 되냐고 물었어요.

사람들이 아롬이에게 상냥한 말을 할 때 보통 그는 마음속이 따뜻해지는 걸 느꼈어요. 그러나 이번에는 그저 차갑기만 했어요. 아롬이는 뭔가 크게 잘못되었다는 것을 깨달았어요.

돌처럼 단단한 것들이 상처를 입지 않도록 막아주었지만, 그것은 또한 사랑스럽고 따뜻한 느낌들이 들어오는 것마저 막아버린 거예요!

나리는 “아, 여긴 정말 아름다운 곳이야! 파란 하늘과 푸른 잔디밭을 봐. 찰랑거리는 물결위에 반짝거리는 햇빛 좀 봐” 라고 말했어요. 그 말을 들은 아롬이는 더욱 기분이 나빠졌어요, 왜냐하면 그가 바라본 하늘은 온통 회색이었거든요. 풀밭을 봐도 온통 회색뿐이고, 호수도 크고 더러운 웅덩이로만 보였어요. 어쩐 일인지 아롬이가 깡패가 된 이후로, 세상에서는 따뜻함과 빛과 색채가 모두 사라져 버렸어요.

"아무것도 아름답게 보이질 않아" 아롬이는 말했어요. "내 눈에는 냄새나는 쓰레기통과 부서진 그네밖에 보이질 않아."
나리는 아주 영리한 들꽃이었어요. "오, 저런" 나리는 말했어요, "이제 어떻게 된 건지 알겠어, 아롬아. 너 마음을 닫아버린 거로구나. 마음을 닫으면 그런 일이 일어나지. 모든 게 칙칙한 회색으로 변한단다."

그래서 아롬이는 호숫가에 앉아 생각하고 또 생각했어요. "내가 마음속에 단단하고 거친 것들을 갖고 있으면 다시는 다치지 않아도 돼. 하지만 그건 세상의 아름다운 것들을 전혀 느낄 수 없다는 걸 뜻하는 거야." 아롬이는 정말 어찌할 바를 몰랐어요. 그는 삶에서 가장 큰 문제를 만난 것 같았어요.

바로 그 때, 도리스라는 거북이와 포글이라는 고슴도치가 다가 왔어요. 아롬이는 그들에게 자신의 문제를 이야기했어요. "글쎄," 도리스는 말했어요. "나는 사람들이 나한테 못되게 굴면 껍질 속으로 들어가 버려. 하지만 친절한 사람들과 있을 땐 바로 다시 나오지." 포글이는 "음, 나는 무섭거나 거친 사람들을 보면 몸을 동그랗게 만들어. 하지만 친구들과 있을 때는 바로 제 모습으로 돌아오지." 포글이는 계속해서 "아롬아, 내 생각엔 네가 마음의 벽을 쌓은 것이 문제인 거 같아. 이제 그 벽은 너보다 더 커졌어"라고 말했어요.

아롬이는 아주 주의 깊게 듣고 난 후에
도리스와 포글이에게 고맙다고 말했어요.
대단히 좋은 생각이 떠올랐거든요. 그는 마음의 벽을 벗어 던지려고 했지만 마치 살갗처럼 달라붙어 있었기 때문에 몹시 힘들었어요. 그러나 한참 밀고 당긴 끝에 마침내 떨어져 나갔어요. 아롬이는 새로운 벽을 만들었어요. 이번엔 **휴대용 크기**로요! 아롬이는 작은 벽을 호주머니에 집어넣으면서 생각했어요. "만일 누군가가 나한테 몹쓸 짓을 하면 그때 이걸 꺼내야지." 그러자 뭔가 이상한 일이 일어났어요 . . .

오랫동안 단단한 벽 뒤에서 차갑게 얼어있던 아롬이의 마음이 녹기 시작했어요. 그리고 얼었던 마음이 다시 따뜻해지기 시작하자, 눈사람이 녹아서 마당에 물이 흥건해지듯이 아롬이는 새로운 아픔을 느꼈어요. 그리고 벽 뒤에서 얼어붙어 있던 아롬이의 눈물이 홍수를 이루는 바람에 아롬이는 갑자기 큰 소리로 울기 시작했어요.

많은 친구들이 그의 울음소리를 듣고는 어디선가 나타났어요. "아롬이잖아!" 그들은 기뻐하며 말했어요. "야! 아롬이는 더 이상 깡패가 아니야. 다시 우리들처럼 됐어!" 아롬이는 그들을 얼싸안은 채 그가 깡패였을 때 얼마나 외로웠는지와 그의 세상이 얼마나 끔찍한 회색이었는지를 울면서 말했어요.

아롬이는 또 자신이 작고 부드러운 것들을 위협할 때 아주 크고 힘 있는 느낌이 들었지만, 그것이 자신의 따뜻하고 부드러운 것들을 모두 앗아가는 바람에 아주 많이 허전했다고 말했어요. 아롬이가 친구들에게 안겨 슬픈 이야기를 들려주는 동안, 하늘은 다시 파래지기 시작했고 아롬이는 다시 햇빛을 느낄 수 있었어요. 그는 아름다운 호수 위에서 햇빛이 얼마나 아름답게 반짝이는지 볼 수 있었어요.

다른 많은 친구들이 그렇듯이, 아직도 아롬이는 호주머니에 여전히 작은 벽을 가지고 있어요. 아롬이는 모든 사람들에게 항상 마음을 부드럽게 열어놓는다는 것은 현명한 일이 아니라고 생각하게 되었어요. 그럴 경우 나쁜 사람들의 가시 돋친 공격을 받기 쉬우니까요.

이제부터 못되고 가시 돋친 감정을 집어넣으려고 하는 사람들을 만나면 아롬이는 작은 벽을 꺼내 사용할 거예요. 그러면 그 가시 돋친 감정은 결코 아롬이를 괴롭히지 못하고, 도랑이나 웅덩이에 처박히거나 냄새나는 접착제처럼 고약한 사람들에게 도로 달라붙을 거예요.

아롬이는 결코 바보가 아니랍니다. 언젠가 그에게 중요한 사람이나 매우 사랑하는 사람이 다시 상처를 줄 때, 호주머니 속의 작은 벽으로는 충분치 않을 수도 있다는 것을 아주 잘 알고 있답니다. 그럼 어떻게 해야 할까요? 아롬이는 모험을 하기로 했어요. 필요할 때는 호주머니 속의 벽을 사용하겠지만, 이번에는 마음을 닫아걸지 않을 거예요.

아름이는 상처를 입은 다음에는 마음을 단단하게 닫아걸기가 쉽다는 것을 배웠어요. 그리고 그때에는 세상이 회색으로 변한다는 것도 배웠지요. 이제 아름이는 다시 누군가를 사랑할 수 있도록 준비가 되었을 때, 그리고 그가 원할 때, 마음을 여는 것이야말로 가장 용기 있는 행동이라는 걸 알았어요.

그러고 나서 아롬이는 낄낄대고 웃는 파티에 가기 위해 신나게 뛰었어요. 거기에는 그의 친구들과 몇몇 깡패들도 있었어요...

. . . 물론 그들은 다정한 친구들이 되었지요!